COLLECTION TAXI

Je suis fou de Vava

Texte de
Dany Laferrière

Illustrations de
Frédéric Normandin

LES ÉDITIONS DE LA
BAGNOLE

Chère Jennifer
Il y a longtemps, très longtemps, j'étais
un petit garçon de 10 ans follement
amoureux de VaVa. Aujourd'hui, je
suis un homme de plus de 50 ans, et
je suis toujours amoureux de VaVa.
L'amour est éternel.

Dany

Pour Victor!

F.N.

Grands faucons, noirs compagnons
de mes songes
qu'avez-vous fait du paysage?
qu'avez-vous fait de mon enfance?

J.-F. Brierre

Cher ami que je ne connais pas encore,

tu as peut-être mon âge, et tu vis aussi avec ta grand-mère, dans une petite ville de l'autre côté de la mer des Caraïbes.

Souvent, je rêve de toi et me demande ce que tu fais.

Ici, je suis avec ma grand-mère Da. Tout le monde l'appelle Da. Da tout court. Moi, c'est Vieux Os.

J'habite à Petit-Goâve, où il y a des montagnes qui montent jusqu'au ciel. La mer turquoise et chaude s'étend au bout de ma rue. Vava, c'est mon soleil. P.S. : J'ai aussi beaucoup d'amis, mais c'est Marquis (mon chien) mon meilleur ami.

Je t'envoie cette lettre
par mon complice, l'oiseau noir,
pour te raconter l'été de mes dix ans.

Les flamboyants explosent en fleurs.
C'est la fin des classes.

Comme toujours, mon chien Marquis
m'attend à la porte. On ne se quitte jamais.

Le mois de juillet me rend toujours triste.
J'ai peur que Vava ne parte en vacances avec sa
mère. Vava ne sait pas que je suis fou d'elle.

Cet été, je n'aurai peut-être pas la bicyclette tant rêvée. De toute façon, je ne pourrais pas la monter. J'ai des vertiges. Mais rien ne m'attire autant qu'une bicyclette contre un mur.
Une bicyclette rouge.

Ma cousine Didi est amoureuse de mon ami Frantz.
Je le sais parce qu'elle ne le regarde jamais. J'ai
l'impression que Vava aussi aime Frantz.
J'aimerais être Frantz...

Un lézard vert fait semblant de dormir pour attraper une mouche. Da se sert une tasse de café. Une goutte brûlante tombe sur le dos du lézard qui file dans l'herbe haute.

C'est la fin
de l'après-midi
et le début
du soir.
Le ciel est
rose. L'air sent
le fumier.

Chaque après-midi,
Da arrose la galerie.
J'aime m'allonger
pour regarder les
fourmis noyées dans
les fentes des briques.

Avec un brin d'herbe, je tente
d'en sauver quelques-unes.

On joue souvent au foot dans le petit parc où Oginé,
le palefrenier, attache les chevaux. On ne s'arrête que lorsqu'il
fait tout à fait noir. Une fois, on a continué malgré l'obscurité.
C'est toujours ainsi au début des grandes vacances.

Je me souviens encore quand mon grand-père m'a emmené sur le port pour la première fois. J'ai connu la mer par le gros orteil. La mer m'attire et me fait peur à la fois.

Et si les poissons me mangeaient la jambe?
Ils savent sûrement que j'ai déjà mangé du poisson.

Je suis sûr que
si le ciel est bleu,
c'est à cause de la mer.

La mer a des poissons,
et le ciel des étoiles.

Quand il pleut, c'est la
preuve que le ciel est liquide.

Regardez-le bien : c'est le notaire Loné, habillé de blanc, avec canne et chapeau. Autour de lui, les gens courent dans toutes les directions. Mais lui, il se promène sous la pluie sans recevoir une seule goutte sur son costume.

L'eau vole partout. Sur mon visage.
Sur la robe de Da.

Vava habite de l'autre côté de la colline.
Je ne l'ai pas vue venir. Elle est arrivée dans mon
dos, comme toujours. Elle porte une robe jaune.

On dirait une flamme qui se promène
dans un champ de maïs.

Ma cousine Didi n'arrête pas de rire quand elle est sur le vélo de Frantz. Zina aussi. Frantz sait faire rire les filles. C'est Vava que je veux faire rire, moi.

Da et moi, on aime rester tard sur la galerie à chercher mon étoile.
*
Une nuit, j'ai demandé à Da de m'expliquer le paradis. Elle m'a montré sa cafetière. Da ferme les yeux en buvant son café.

Da me raconte toutes sortes d'histoires
de zombies, de loups-garous et de diablesses,
jusqu'à ce que je m'endorme.
Au moment d'aller au lit,
Da ne m'a pas vu entre
les sacs de café.

Tout le monde à Petit-Goâve sait que Passilus, le boucher, se transforme en cheval après minuit.

Je suis seul sur la galerie et tous les diables de l'enfer se trouvent dans ma rue. Da ouvre la porte juste à temps pour me tirer de là. Je me blottis, dans le lit, contre le ventre chaud de Da.

Ce matin, un garçon de la rue Fraternité a dit que je me bats comme une fillette.

J'ai failli lui arracher l'oreille d'un seul coup de dent. Je suis peut-être maigre, mais je déteste qu'on se moque de moi.

rue St-Paul

Je suis allé à la fête de ma cousine Didi.
Tout le monde danse. Je ne bouge pas de mon coin.
Je voulais voir Vava dans sa nouvelle robe jaune.

Didi veut que je danse avec Vava. Et quand elle a mis ma main dans celle de Vava, mon cœur s'est mis à battre si fort que j'ai arrêté de respirer.

Da me fait respirer du camphre. J'aime l'odeur. Elle me picote le nez et me monte à la tête. Da passe deux jours à mon chevet.

Timise,
la guérisseuse,
est venue ce matin.
Elle m'a longuement massé
avec de l'huile de palmacristi.
Elle me fait peur avec sa tête de vautour.

Quand le docteur a dit que je ne faisais pas de malaria, cette terrible maladie qui a emporté mon ami Auguste l'année dernière, Da s'est mise à chanter Alléluia pour remercier la Vierge.

Da m'a donné un bain de feuilles d'oranger dans la cour. La fièvre est partie, mais dès que je ferme les yeux, je vois encore la robe jaune de Vava.

Les grands yeut noirs de Vava viennent se poser,
comme des papillons, sur mes paupières.
Et brusquement, j'ai une envie irrésistible d'apporter
un bouquet de fleurs sauvages à Vava.

C'est la bicyclette du forgeron. Elle est rouge comme celle de tous mes rêves. Si Montilas m'attrape, il me fera fondre comme du métal. Je ne peut pas résister à cette bicyclette qui m'attend pour filer vers le sud.

Vava m'aime. Je cours. Je file. Je vole l'écrire à toi qui vis de l'autre côté de la mer. Toute la planète doit savoir que Vava m'aime.

À bientôt,

Vieux Os,
88, rue Lamarre
Petit-Goâve

Je suis fou de Vava
a été publié sous la direction
de **Jennifer Tremblay.**

CONCEPTION GRAPHIQUE
Christine Houde

PRODUCTION GRAPHIQUE ET IMPRESSION
LithoChic

©2006, Dany Laferrière, Frédéric Normandin
et les Éditions de la Bagnole.
Tous droits réservés.

DÉPÔT LÉGAL 2006
Bibliothèque et Archives nationales du Québec
Bibliothèque nationale du Canada

ISBN 2-923342-08-9
Deuxième impression novembre 2006

LES ÉDITIONS DE LA BAGNOLE
Case postale 88090
Longueuil (Québec) J4H 4C8
www.leseditionsdelabagnole.com

Imprimé au Québec